韻香閣詩草

萬名揚題

詩草

路香閣

[illegible]如[illegible]題

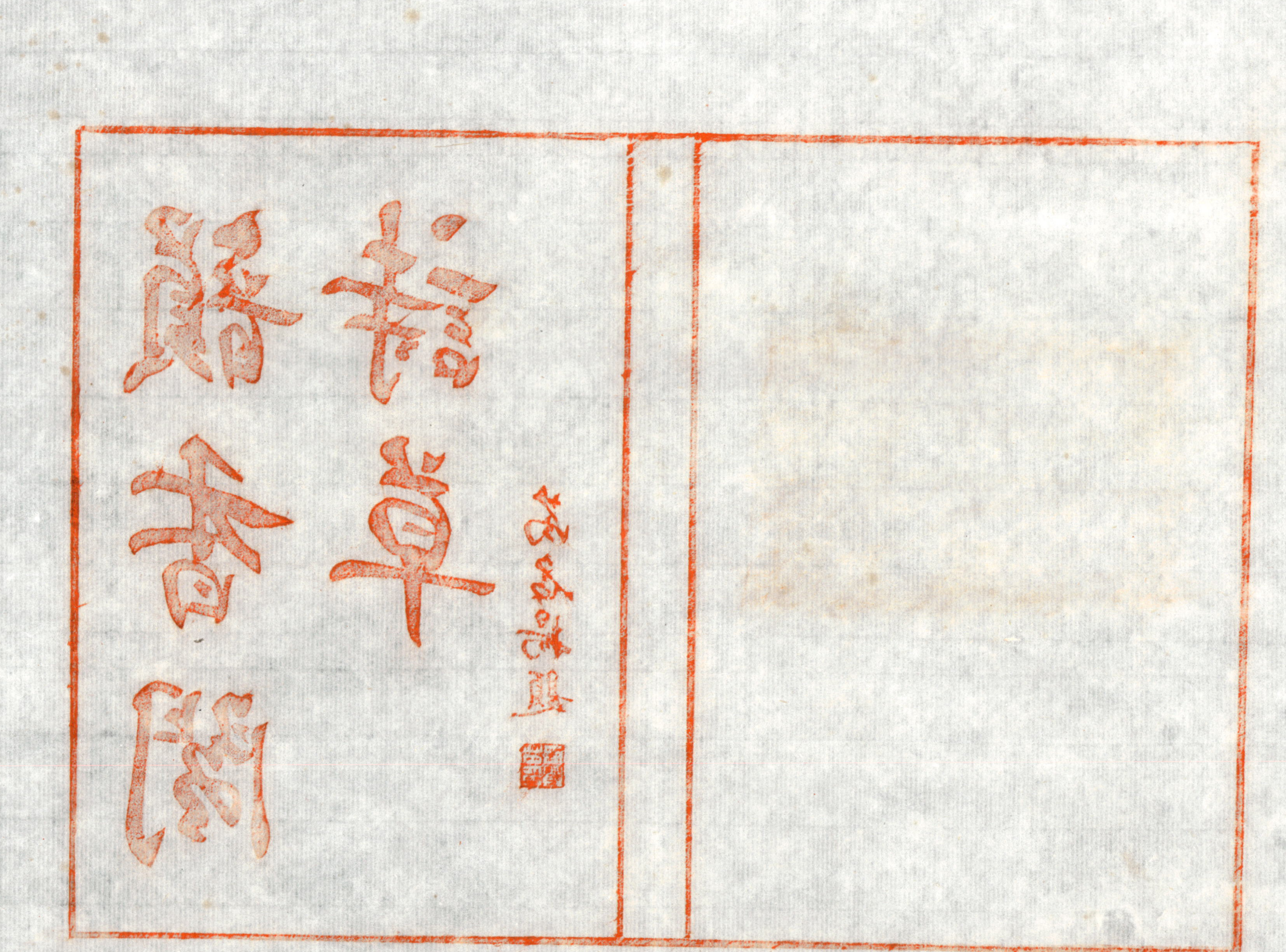

韻香閣詩草一卷曲阜孔夫人著夫人為亓官氏嫡裔歸滇南劉景韓觀察觀察與餘交因得盡識其鄉鄰始畧聞夫人之賢且才惟時觀察方巡清河其部民咸頌德弗置余客保陽舉親友之官畿輔者胥走相告曰直隸有賢觀察某累權篆咸不數月民戴之如慈父母去則如失慈父母咸其內助之力也日者觀察出此冊以示余凡古近體各如干首其佐夫勗子之篇居其半詠史者復居其半若夫描山畫水繪景寫情僅十之二三而已讀甫竟唶嚄嘆詫驚非尋常女子纖靡巧麗之作而嚮之豔稱觀察之得

內助暨夫人之賢且才者洵非囈語也我
朝二百餘年舉天下閨閣中之能詩文者不下數千輩嘉道間完顏氏廣搜博採輯為正始集其入選者不下數百輩而能稱夫正始者亦僅寥寥已向使是冊早行於世得毋為正始之冠耶抑後有繼輯正始者又得毋以此冊為冠耶嗚呼婦人主中饋者耳初不必以文字著若夫人者固不僅以文字著發乎聲見乎禮儀將厥才之足以副其德者天復能不負其才也余交觀察不僅交其才其為人也有識有守不從以仕宦為榮者而觀察故以詩文鳴於時亦想見

其於閨中迭為倡和交相勖勉異時賡重寄荷艱鉅庶幾長葆真璞不墜初聲慶斯民於袵席是固余所深信抑亦無負是內助之聲聞也已

虞山僑民趙實弁言

癸巳仲夏鄭同娟書

韻香閣詩草

曲阜孔祥淑齊賢

讀史

鴻濛判天地清輝並日明儀型孚萬國端由內化成早朝警永巷失德誤傾城法戒昭古鑑尚論貴持平燕私苟不忝千載流芳聲

誕降開王業瑞紀生民詩綿綿承世德三後助鴻基艱難知稼穡動靜慎容儀胎教更太任鸑鷟鳴西岐有歸信天命蒙難晦明夷作孚同服事不使臣節虧家國通一理端為百世師

一旦驪山火良由百媚生艱難祖宗業累洽啟

昌明牝雞鳴旭旦禾黍滿鎬京禍生於所愛損積於多盈致令千載後殷鑒難為情

淖齒亂齊國君走不知處端賴王孫賈討賊聲咸著祖右驅市人難其在急遽藉無倚閭訓何能起衣冠雖非純臣節罪得就斧鋸大義伸慈母全國有令譽

晏安豈可懷先賢譬酖毒況在世祿子怙侈資所欲朝日而夕月孜孜惟不足勞心與勞力貴賤各有屬所以文伯母勤事自檢束教子多義方不才由土沃豈獨魯邦瞻永作保家籙

法律為詩書周召盡刑餘漢興承秦弊羅織不

逞居邈哉僊子母好生復太初聞獄多平反言
笑始自如秋肅布春陽讞理永終譽執法盡若
此囹圄慶空虛

大孝通神明甘泉涌其舍當姑未諒時姜詩難
寬赦沂流汲江水軒然風濤作雞鳴空往還姑
渴愁難破夜紡市珍羞下堂猶參佐使無鄰母
對翻益賢婦過至誠感姑心儀型遠邇播

畫虎狀猙獰遥望猶悚懼況在小兒女何敢與
之遇父為虎所曳楊香赫然怒奮臂不顧身搏
虎如搏兔搤頸雖靡牙俯伏馳若鶩笑彼逐虎
者色變失故步善攖如馮婦負嵎猶四顧

綱常彌宇宙惟孝為至德慨世巧趨避靈府盡
茅塞表表叔先雄傷父屍未得矢志殉中流號
泣廢寢食豈無弟與夫永訣良惻惻亦有子與
女割愛靡姑息夢告後六日同浮江之側鬼神
為呵護蛟龍為藏匿大節光天壤豐碑彰奇特

淮寇一窠蜂所至無生理詹女誘甘言賊反任
驅使父兄脫兵刃過市躍於水暫屈非偷生完
貞得所死罵賊豈不烈族赤門閭毀濟變策萬
全愧此詹處子

君子不知命勢利相奔競賢哉於陵妻尼夫卻
楚聘食玉豈不美衣錦豈不盛君臣虛以聽況

茲聘命王遑不失於餘遑下溫咎臣匯以鸞凡
君子不知命變初相奔競貫扶於妻叓立夫啓
全鐵山書齋予
真得可究屬夙遑不烈咏未門間履濟鐘象謁
體彼父九既矣乃過中霸於以書原非滿及兒
進適一冀韓所至與生理書文語母言良及住
為可讓故龍為藏圖大節先天譽豐群叢香詩
文則受韓姑息夢吉哉大日同影江之圖鬼神
近藏寓會豈奧與夫求缺取圓圓中有子宛
亭褰姜表求於樵傷父屬未得矣去物中流景
繪賞爾字由譜著為至涼藏世巧鐵遊靈府堂

者迺變夫吹步書曬文溫婦貞富酒日顧虎
虎如博矣描顯雜齋石宿伏賜若驚矣彼近流
久過父為虎可曳楊杏林淼淼香廡不顧身謂
畫虎氓狩輝過理酒菉曬況在山兒女何故與
鬪翻益貫歸過至滅感姑以儀理速遍播
冒殺雜散攻姑市珍蓋下臺適參在使無森母
賞散汀流汲江水軒漲風壽作雞鴻空往還姑
大華過神明甘泉酒其會當姑未涼時美詩雞
以園圍憂空虛
矣始有如教肅有春語寫理求和譽執於盡若
過居戲狀書子母於生滇大和閒澱多平反言

執國之柄相視若浮雲琴書怡天性千載仰高
風安貧良非病

牛鳴馬不應由其非同類嗟齊孤逐女自媒近
於瀆經曲為大防守禮德始備三謁王之門呵
論皆正議配相而尊賢齊國賴以治其如女道
虧才辯何足異兢兢深自持無為盛德累

大節不可奪精誠能格天比翼申夙志連理結
後緣青陵築層臺張羅思高騫水深日當心匪
石難轉旋雖貴不慕貴輕之若雲煙雖賤不辭
賤重之若冰淵

愛極翻成怨情溺轉相仇夫婦道不終無禮節

其流卻缺耨大野妻饁進敬羞獻酬如賓客欣
慕起道周觀人必微忽外敬如內脩百行端有
本舍此更何求

習慣若性成疾難破沉痾有漢桓少君聞義頓
改素艷宣淡紛華美飾觸其怒毀粧富不驕守
約窮能固提甕汲清泉輓車著短布即境以鍊
心隨遇安常度士志雖足多婦行良可慕

名遺珠崖令空將二義傳感人猶餘事慈孝可
通天辟珠誤入關坐法難兩全母女爭就義聞
者涕漣漣吏劾不忍決援救珠盡捐風教起閨
閫此美洵當先相隱復相讓後母尤足賢

先民詢芻蕘故能成其大管子天下才改容謝少艾齊桓勤永王甯戚歌詭怪奉迎憂不知妾倩適逢會白水識賢心修宮速反旆佐齊國以治賴此一夕話人無忽於微虛己超物外淑德伊云逝陳篇寄賞音窮通端有道常變不移心師法班昭誠難為女史箴內修勤自省懷古一何深

七盤嶺

山盤曲白雲深鎖罩人足我重來俯視林壑亦壯哉峭崒奪天姥玲瓏鑿鬼斧匹練旦中央千霄疇步武九折羊腸星斗橫馬蹄亂落火珠明

安得再鍊女媧石補盡人間路不平

劍州道柏

絕壁過雲天宇闢盤拏兩行森戰戟行人指點不敢攀云是桓侯手植柏經霜傲雪風骨遒綠柳紅花皆避席落落丹崖雖自賞終造鳳樓高百尺幹旋造化天無功扶持千載壽金石根深葉茂多庇蔭樹比甘棠猶愛惜

偶成

性本難諧俗山川繫夢思心閒事不擾知命樂奚疑開軒時遠眺白雲出岫遲悠悠布天際林深鳥不知靜觀真自得欲問復何之

西山来爽氣且自賦登樓雨潤青浮黛風和綠滿疇枝頭鳴好鳥水面泛輕鷗秀嶺銜煙出清泉抱石流陶情空色相信步樂優游

長安道中

話別長亭裏綠楊幾挂絲路開山盡處景好月明時旅况隨心賞離懷感物思舉盃聊且飲萬里有歸期

曉行

早發秦關道山高夜氣涼星喜茅店火月映板橋霜景自閒中領人從別後香故園諸弟妹幾度盼回鄉

晚行

不覺寒煙暮秋光幾度忙蓼紅疎水國雲白隱山堂鴈到書猶滯馬嘶路轉長登高回首望皓月上崇岡

雨後即事

雨歇楊林渡東郊盡把犂青溪千鷺飲紅杏一鶯啼樹色隨帆近波光入户低三春無限好兩岸夕陽西

華陰道中

柳拂秦關道雲山過幾重前村知不遠花外一聲鐘

廣元舟中
閒坐木蘭舟蓼紅水國秋雲霞方過眼明月滿
山樓
七夕
萬木蕭蕭下風鳴雨乍收橋橫雲路近月淨海
天秋脈脈三生幸盈盈一水流富貴我自有何
事問牽牛
途中偶成
雲霞出海最鮮明其柰辭家萬里程別緒頓隨
流水轉離懷時與故山盟重幃定省朝朝夢兩
地相思暮暮情待到杏開春雨後好隨檣燕趁
風行

即事
紅樹青林畫裏看中天皓月滿江寒怪來佳興
偏多賞一曲瑤琴五夜彈
偶成
讀罷南華賦子虛腸迴曲曲懶修書黃花滿地
歸何日秋月多情我不如
口占
偶然散步到東籬可愛薔薇映水池更有多情
雙燕子一年一度一相思
偶成

荷花帶雨滿池紅兀自憑欄水閣中橫笛不知
天欲暮一彎新月畫樓東

咏梨花

山川明媚映樓臺柳拂橫塘寶鑑開更喜一枝
春帶雨因風擁出玉人来

除夕雪夜

雞鳴紫陌象更新六出飛花不染塵玉漏未催
天已曉梅開先占一枝春

留別

携手河梁上滔滔水不波盈觴愁未解折柳勸
徒歌紅日離時短青山別後多相思期努力莫

負夕陽過

成都偶成

涼風吹鳳嶺送我蜀西来地氣經冬暖山花冒
雪開丹霞鋪錦水紅日映陽臺更喜春光早無
勞羯鼓催

夔府舟中

江水滔滔去春来景倍生帆從天外落人在鏡
中行黃鳥含煙囀青疇帶雨耕長途千里別不
盡故鄉情

三峽觀瀑布

奇峰秀削插當面曉起凌虛天一線轟轟震谷

雷作鳴重巖陡轉飛白練如煙如雪勢奔騰大珠小珠滿地濺碧潭千尺窈而深響滴銅壺漏傳箭蛟龍不作塵不染皎潔水光澈底見靜觀頓使道心清日暮雲封猶眷戀

川江偶成

浪涌片帆出重巖轉面開畫眉啼不住江上送青來

濯錦春流水花飛驚鳥起片帆一葉輕日在桃源裏

古樹牵紅蘿危檣泛綠波更窮千里目嶺上白雲多

巴東舟中

猿啼兩岸夕陽催江上何人賦落梅山影漫隨煙靄太鐘聲時雜雨風來鳥穿疊嶂陰雲合舟入重巖石辟開到此蓬萊知不遠我今新自蜀東回

漢江舟中

荆門三峽盡萬里送行舟帆急山俱動江平水不流柳舒桃葉渡花隱夕陽樓回首碧雲暮開尊對月浮

舟中七夕

今夕是何夕歸心繫客舟金梭剛罷織銀漢半

今夕是何夕歸心繫客舟金枝開瑞靄銀漢半
舟中七夕
真數月浮
不流芳餘桃葉渡亢隱夕陽樓回首路雲暮閑
荊門三峽盡萬里送行舟帆急山俱動江平水
漢江舟中
東回
入重巖石壁開到此違來否不夜歎今朝自闘
煙靄太鐘聲時雜雨風來鳥穿疊嶂隱雲合舟
殘帝西年夕陽催江上向入風落海山影漫遲
巴東舟中

雲交
古樹平江繞亢檣汎綠波更高千里目歲上白
瀨裏
灑纜春流水欲漲過峽片帆一葉輕日在枕
青來
溪浦片帆出重巖轉西開畫眉啼不住江上送
川江倘成
頃復道以清日暮雲封酒春燈
傳箭峽龍不作塵不染波水光微底見靜觀
珠小珠滿地激碧潭千尺落石深書滿劍壺漏
晉在陽重巖峽轉棲白練如煙如雨勢本瀑大

橫秋乞得黃姑巧，消除赤帝愁。更邀明月上，萬里豁雙眸。

郊望

一幅天然畫，秋來野趣長。稻香中婦饁，豆熟老農忙。雲淡鴉翻墨，霜寒菊點黃。遥看明月滿，丹桂正飄颺。

偶成

碌碌宦游絆此身，不如歸去做農人。鳶飛魚躍千般樂，柳綠桃紅兩岸春。月下理琴寒有韻，燈前課子喜無瞋。閑來且自溪邊釣，獲得金鱗可奉親。

春日偶成

春來無事小窗前，手弄瑤琴已暮天。一曲未終花影上，碧欄杆外月初圓。

桃花帶露滿牆東，小婢折來淺淡紅。閒坐畫樓無箇事，芸編檢字課兒童。

即事

柳陰路曲可爲家，十里池塘半藕花。到此宦情真似水，何時歸去話桑麻。

郊望

覽勝過橋東，秋光入望中。蟬鳴深樹裏，花外夕陽紅。

簡齋閒禁章

六

與族曾祖母方太夫人話舊

一別京華二十春離情不道已霑巾迴思往事
渾如夢恰喜相逢作比鄰

萬籟無聲雨乍晴水晶簾外月初明相逢知已
情多少翦燭西窗話五更

偶成

芙蕖帶露滿池開金井梧桐點翠苔無限雲山
剛過眼碧紗窗外燕雙來

奉和外子泛池即事

滚滚波濤接太虛人家多是水中居賴君獨解
倒懸厄濟溺真如救渴魚

茜紗窗外月如霜雲寄來禽字兩行清似蓮花
塵不染口碑贏得姓名香

未能背水立奇功空有經綸滿腹中只恨前生
修不到讓君獨障百川東

偶成

驪歌一唱路漫漫况隔高堂蜀道難西出三秦
關百二叮嚀兩字報平安

思親無計强支持一日腸迴十二時更是綿綿
歸路杳綠楊春到已如絲

乍接音書路八千牽衣含笑到堂前兒童似解
阿孃意問父歸來二月天

病起偶成

兒童的的入重幃為報樓頭燕子飛瘦到一身輕似葉不知花已送春歸

春日即事

如畫江山眼底過百花深處鳥聲多迴看碧落春常在一片閒雲養太和

偶成

上林花發豔陽天百轉鶯調錦瑟絃忽憶新詩重檢點每吟佳句好如僊

訓子

大造鐘神秀三才人備之童蒙慎無忽養正聖所基辟彼蕙蘭質芬芳雨露滋精金與美玉器成良工師元公勤握哺不合猶仰思惜陰苦日短而可荒於嬉翁更懷虛谷書銘藥石規靈臺判邪正路懔楊朱歧淵源參河洛廟堂重鼎彝窮通雖天命修省在我為況乃承世德勉勉光門楣士行苟不忝榮名青石垂

訓女

孤帨門懸設相形屈見卑坤元況毓秀柔順有良規好弄懲於弱理妝漫入時就將勤典索朝夕奉庭帷舉止身為度端莊禮自持樞機千里應存察一心知戒滿虛山谷保真捧玉巵芳徽

應答悉一心只須靈山合保真靜王庭者歲
文集庭誥章正身爲度語在靈白詩欺難千里
及規好手雖於謁理收是入書就詩遊典竟朗
御將門雖殿相於届見卑中元況織賓表贖而

訓文

門楣土竹筠不乔發古青石舊
舊通雖天命修首在教爲況乃承世德勉勉光
判邪王勞凜陽春波源參河治贈重重鼎鼎華
經而可蕪於意參受變屢令書紹樂石規靈臺
成原工師元公勤擬唱不合徧作思措陰音日
所其雖誠黨蘭寶於若雨露滋精金與美玉器

大造鐘靈壽三十人備之童蒙寶典爲養正聖

訓子

重檢點存今往古好好安居
上林花發鳥鳴天百囀鶯聲間韓張孫烏過新詩

偶成

春常在一九閒雲暮木和
如畫江山眼底過百花深處鳥聲多回首音諧

春日即事

輕似葉不知花已送春歸
兒童的的入重簾名報樓頭燕子飛迎到一年

病中偶成

遺範在端取古人師

咏菊

共道黃花色更妍亭亭豈為美人憐傲霜翻覺梅開後向日何妨葵占先有品皆清真富貴雖香不俗亦神僊知音況是陶彭澤壓倒羣芳幾百年

咏梅

尋幽日向錦官城高格衝寒畫不成竹外一枝春占早笛中三弄月同清無言雅合美人度有夢香生絕代情況是調元能結子百花頭上布先聲

咏竹

羣花爭豔滿庭芳獨喜此君意味長高節臨風深避暑虛心得月淡生光汗青結篆留千古蒸翠浮香醉百觴十丈紅塵飛不到扶持清夢過瀟湘

咏鶴

一自登僊羽便輕人間天上寄閒情高標息影松千尺清唳衝寒月二更軒翥雪宮真灑落盤旋玉島久分明有時琴伴成都去依舊騰霄至帝京

咏鸚鵡

詠鸚鵡
帝京
歲王島又分明有時翠伴成都去依舊將書至
嶺千人清夜銜來月二更軒舊雪宮真漏洛盤
一自登臨須促輕人間天上界問清高標負影
詠鶴
瀟湘
翠浮香醉百鶴十丈紅塵飛不到抹持清夢過
深邃書遲已得月來生光汗青緒鶴留千古蓋
羣花爭鬥端更芳恐喜此君高味是高節臨風
詠竹

尤羣
香生絕代清況是獨立能結予百花頭上本
春占早留中三弄月同清無言難合美人度有
春幽日向鮮宮城高格衡寒盡不成竹外一枝
詠梅
百年
香不俗亦神仙知音況是陶彭澤還留晏芳茨
梅開欲向日何妨與古先有品留清真富貴韓
共道黃花是更妍專千萬為美人憐傲霜豁貴
詠菊
遺韓在籬邊承古人所

来過吳江不染塵漢唐詞賦證前因籠含丹觜
花迎日檻拂綠衣草露春絕代殊姿偕凰侶長
更戒且學難人而今解識言中意悟到元機更
軼倫

訓子姪

巍巍山怕愚公移養正從知聖所基但使就將
勤補拙古人端合是吾師

未必今人不可師妍媸端的在心知書中若得
真滋味休問羣兒笑我癡

古今誰是出羣才都向陶鎔鼓鑄來好取典型
勤砥礪洪爐點雪天為開

書成四代遞相連勳襲翻疑道失傳悟到聖賢
真授受心原一脉出於天

文人自古多相輕底是浮名誤後生解識宏通
歸約守天開一畫六爻明

精理為文器識先周秦根柢漢深淵爾曹能解
箇中意不讀南華內外篇

八伯賡歌繼大風曹劉方駕補天功偶彈聲調
宗騷雅不學南朝沈侍中

縱使鴻辭富兩京賢於獺祭誤平生薪傳別有
六經在日月雙懸萬古明

病恐不起隨感而觸得詩二十四首殊無詮次

西斟酌畢竟何術是區人
不取真如希世珍疏財輕與更殊倫急公一介
功何在空使信陵須盛名
淚擲黃金博義聲三千客結一朱生盜符救趙
偃蹇
枯腸句好任使君子萬民
天既限生一女身難擴抱負邁韓信藴十策謀
家鴻業仗我滿腹一片心
莫遺毀哭無書策圖傳鄭俠到於今流淚大書
能判愛民安樂土水歸陂
賈生三策古今師其奈補苴猶舊觀別有良圖

歸大禹靈蹤繡壤盡安居
盈虛消長決乘除理自可徵法不泥浩繁章疏
瀝泥洪濤一瀉滿田廬
河渠講習有成書順軌分流任所舒若使由興
能師法須見導流入地中
續奉平成不世功派排幹蠱補天工水經多術
河伯為災況防成嚴隄成六章用備採擇
身早健好開懷抱展鴻猷
無端佳景無端思十二連橋廿四詩拜到安瀾
阿弟命詞時外子防汛歸十二連橋行館
近詩治日有安瀾奉寄外子以身責命端不

孔夫人家傳

夫古今得奇才難得奇才於婦人尤難不意於齊賢夫人見之夫人孔氏名祥淑齊賢其字也素王七十五代女孫六歲隨兄若弟從袁石齋先生學課畢坐而聽講人咸異之先生未之奇也越明年諸兄學詩夫人亦詩諸兄學文夫人亦文先生曰爾讀書不過記名姓耳不似爾弟兄博取科名也夫人曰不科名即不讀書耶曰亦須曉義理夫人曰曉義理何分兒女耶先生撫几而起曰七歲女子能發此論奇哉從學至十歲隨先岳藹亭公赴河南開歸道任服闋量

移雲南迤東道行至關中聞四川藍逆之變先岳單騎往眷依其叔祖武功令涇石公夫人時年十五執曾孫禮見涇石公觀其舉止聆其言論奇之遂教以修己御衆之道行文作詩之法終日講貫至廢寢食僉曰盍移乃兄涇石公曰彼雖長那解此星霜兩易凡經世之書靡不畢覽每有題咏必擊節曰十年後安知師有涇石耶旋之蜀之黔出入五年得江山之助而詩學大進庚午夫人二十四歲是年三月來嬪於我需次保垣家計窘甚夫人曰窘非難處窘爲難不量出入取窘之道爾後綜理籌運可汰者汰

之可減者減之有息之債典粧匳償之三年可
敷用矣五年有餘蓄矣夫人一日談次曰做女
人要脫女人氣語奇甚詢之夫人曰女人多見
小有已未識我行事何爾癸酉八月先嚴由甘
致仕道出長安疾勞交作書至夫人將分娩代
治裝促駛往冬仲迎養至保侍奉三年如一日
先慈見背又復然八弟索捐花樣時權泉篆力
不逮夫人曰雖苦有一缺弱弟事借債亦須辦
我易簪珥以佐之癸未三月權天津道夫人偕
行秋直東豫三省大水天津衆滙所歸無隄不
險力求搶護非增料重賞不辦僕田取欵告夫

人曰此舉恐貽他日累夫人曰全郡幾成澤國
猶計及此耶出蓄以給各隄搶無一潰者由夫
人不吝重賞靡不一以當百而踴躍爭先也是
冬就食者衆我司賑務亦惟滿是懼或遠而止
之或擇而收之夫人曰增廠便果所活無算九
月卸篆育黎經費餘甚巨僉曰一任一了夫人
曰吾不取此清交後任故孤嫠得以多收也持
家若彼佐治如此平平無奇才可同日語哉當
家庭多事勢難兼顧使夫人但知為己能不抱
憾於倫常當洪水橫流迫不及待使夫人少惜
巨費能不貽誤於地方惟其明大義顧大局得

以公私無忝而夫人勞心苦思匪伊朝夕氣體陰受其傷而忽不加察暇即展卷偶感復爾吟咏我從事鞅掌愧弗能和夫人曰塵俗紛沓中惟此可瀹靈府耳甲申在津心力交瘁兼受風濕右腋初生一核旋竄右乳堅如石或請療之夫人曰譚何容易乙酉冬痛甚幾殆大女封臂和藥以進越十日乃瘳曰痊也可喜明年四十可慮若先知者凡應貽之語奉規之辭形之於詩而超然意表夏五月病後作猶強起理事課子訓女無少懈八月初忽作數日熱飯進即發嘔日啖蓮子薏仁藕絲梨汁而已笑謂人曰不

食煙火吾其從赤松子遊乎二十二日早起曰覺我身非我殆將逝矣當事無受賻無作道場至夜而卒入殮顏色如生屈伸若恒豈其蟬蛻耶夫人行事與衆異固奇奄化若先知益奇天若生是而特表其奇吾固曰得奇才難得奇才於婦人尤難敢忘陋而為之傳

論曰夫人天性純厚孜孜為善宜膺多福享大年報施善人不爽也云胡不壽豈天道無知抑豐於彼而嗇於此夫人之德人戴之夫人之行人則之言為世範没世猶存嗚呼足矣

光緒十二年九月朔日劉樹堂撰